세상이 연해질 때까지 비가 왔으면 좋겠어

창비
청소년
시선
41

세상이
연해질 때까지
비가 왔으면
좋겠어

김준현 시집

창비

차
례

제1부

지구의
누군가를
사랑하게
되어서

넓이를 구하는 공식

직사각형의 넓이는 가로×세로
삼각형의 넓이는 밑변×높이÷2

그렇다면 나의 넓이는 어떻게 구해야 할까?

사람은
세상에서 넓이 구하기가 가장 어려운 도형이야
좀 더 크면
나의 넓이를 구하는 공식을 알게 될까?

누구에게도 하지 못한 말을 곱한 다음
너와 마음을 나누면
알 수 있을까?
하루에도 수십 번
늘어났다 줄어들었다 하는
나의 넓이를

노랑

삼십 분 정도 지나서
고구마 속으로 들어가는 쇠젓가락
그곳에서부터 노랑이 뜨거운 숨을 쉬듯이

살아 있니, 살아 있니

그런 연락처럼
나도 모르는 마음을 찌른다는 것

그런 연락이 톡, 톡
나를 울리는 알림음이
어둠 속에서 견뎌 온 고구마의 삶이
삶은 고구마의 부드러움이
이제는 먹을 수 있는 마음이

세상 밖으로 드러난다는 것

우리 둘이

고래고래
노래를 부르면
입에서 고래가 튀어나올 것 같아

바닷속에서 숨을 참았던 고래가 펑!
분수처럼 숨소리가 하늘 높이 솟구치는 기분
등대를 세우는 기분

참았던 걸 다 쏟아 내 버려!

정민이가 굽은 내 등을 지느러미로 쓰다듬어 주더라
노래보다 그게 훨씬 좋았어

정민이랑 나랑
둘이서 세상 끝까지 헤엄치는 돌고래처럼
우우 우우 우우 우우 우리 둘이
노래가 되었어

내 속엔

밖에서 매미가 울어도 여기는 겨울
밖에서 초록 잎이 연둣빛이 되어도 여기는 겨울
밖에서 수박씨 툭, 툭 뱉는 소리가 나도 여기는 겨울
밖에서 반소매를 입어도 나는 털모자에 긴소매 여기는
겨울
밖에서 장대비가 쏟아져도 여기는 함박눈이 오는 겨울

네가 내게 주고 간 겨울
잊고 있다가도 한 번씩 나를 뒤흔들면
쌓인 눈이 솟구쳐
온 세상이 눈이 펑펑 내리는 겨울
나 여기 있어, 외쳐도
너를 잊고 지내다
어느 날 발견한 그 겨울
먼지 쌓인 스노볼 겨울

인공위성의 마음

　모든 일을 끝내고 몇 년 전 우주에 버려진 인공위성이 궤도를 이탈해 지구 대기권으로 진입할 것으로 예상된다는 기사를 보았다. 인공위성이 지구 대기권으로 진입할 경우 높은 열에 의해 산산조각이 나겠지만, 일부 불에 완전히 타지 않은 인공위성의 파편이 지구로 떨어져 사고를 일으킬 가능성이 있다고 한다.

　왜 돌아오는 걸까

　사람들은 인공위성이 태어나자마자
　어두컴컴한 우주로 보냈는데

　지구에서 쏟아 내는 말들을 다 받아서
　여기에서 저기로
　저기에서 여기로
　전해 주는 인공위성, 그러나
　정작 인공위성에게 건네는 말은 한 마디도 없었는데

몇 년 후, 수명이 다 된 인공위성은
잊힌 채 버려졌지

홀로
제 외로움만큼 큰 원을 그리며 지구를 돌아도
아무리 빛을 내도
아무도 바라봐 주지 않았는데

왜 돌아오는 걸까

제 몸이 부서지면서까지
온 힘을 다해서 지구로 돌아오는 건
어쩌면 누군가를
지구의 누군가를 사랑하게 되어서일지 몰라

내 생각

편지 봉투 속에
아무것도 쓰지 않은 종이를 넣었다

안녕도 없고
잘 지내도 없는
편지 한 장

받는 사람의 생각은 얼마나 넓어질까?

그 생각 속에서
밤새 눈이 쌓인 듯 새하얀
너의 생각 속에
조심조심
발자국을 남기고 싶다

난 너의 그런 점이 좋아

일곱 개나 되는 점
힘든 점 부족한 점 그냥 ● 이놈의 점 점점 무거운 점을
짊어지고 다니는 무당벌레

하나도 안 버리고 낑낑 온 힘을 다해 걸어가

미끌미끌한 철봉 끝까지
빗방울이 무거워 떨고 있는 호박잎 끝까지
얼굴이 까맣게 탄 해바라기 끝까지
새끼손가락 끝까지

어디를 걷든 끝까지 가고 나서야 날개를 활짝 펴고
이 바람 저 바람
어디에서 오는지 알 수 없는 바람, 바람, 바람을
노래하듯이 갈아타며 훨훨
날아오르는 너

넌 정말 멋진 점투성이야

RH null

흔하지 않은 피가 있다
이 사람의 피를 저 사람에게 줄 수 있다
저 사람의 피가 이 사람에게 올 수 있다
우리는 그런 사이다
피 검사를 안 해도 알 수 있다

나를 깎는 너

연필 끝이 둥글둥글 순해지면서
먹구름처럼 흐리멍덩해지고
살이 찌고
둔해지는 글씨들

요즘 내가 쓰는 글이 힘이 없다며
좀 갈고닦으라며
이젠 너인 줄도 못 알아보겠다며

너는 연필깎이에 내 연필을 집어넣고 빙빙 돌렸다

나는 사람이 자꾸 날카로워지는 게 싫다

연필이 얼마나 날카로워질지 모르면서
연필에 닿은 종이가 얼마나 아파할지 모르면서
내가 조금씩 사라져 가는 줄도 모르면서
너는 나를 자꾸만 깎고 깎았다

뒤따라오는 말

그 애가 바늘귀에 실 끄트머리를 넣었어
조심조심
귓속말은 왜 이렇게 간지러울까

그날부터 바늘은 긴 꼬리 하나를 갖게 되었어
떼고 싶어도 뗄 수 없었어
아무리 달려도 뒤에 흔적이 남았어

눈사람 발자국처럼
눈으로만 몰래 친 밑줄처럼
돌고래가 물 밖으로 나올 때의 포말처럼

바늘은 쉬지 않고 달렸어
내 안으로 들어왔다가 밖으로 나갔다가 다시
내 안으로 들어오면서

내 둘레를 재고 내 치수를 재는
그 아이의 말은

한 벌의 옷이 되었어

벌거숭이 임금님처럼 그걸 입고 다녀도
다들 모르는 척할까
누가 진실을 말해 줄까

누가 나한테 귓속말을 하는 것도 아닌데
귀가 자주 간지러웠어

단물

씹혔다 그 아이한테 자꾸 씹혔다
내 말이 껌인가? 자꾸 씹게
생각했지만 자꾸 씹히기만 해도
꿈이든 껌이든 좋았다

풍선껌처럼 잔뜩 부풀어 오른 꿈은
개구리 울음주머니처럼 불룩불룩
터질 때마다 딸기 냄새가 나는 숨소리
하루하루가 달콤했는데

그 아이가 내게 한 마디 말을 한 그날

단물이 다 빠져 버렸다
맛도 없고 재미도 없다 이제 너랑 절교라고
말을 함부로 뱉어 버렸다
바닥에 툭 버려진 껌처럼 아스팔트인 척
아무 일도 없었던 척

쓸데없는데 쓸 게 너무 많아서
온통 그 아이 그림자로 물든 일기장은
매연이 가득한 길바닥이었다
며칠 동안 거기 퍼져 앉아 있었다
내가 어두워지는 줄도 모르고

가까운 사이

예서지원이
늘붙어다니던둘이처음으로다퉜다

지원이 예서
둘 사이를 띄어 쓰기

잠시 쉬며 화를 가라앉히라고
예서, 지원이
사이에, 쉼표, 하나, 놓았다

마음이 가라앉아 미안해진
지원이…예서
먼저 말을 걸어야 하는데… 말줄임표만… 늘어났다
이 말줄임표… 다… 언제… 잇지…?

그래 일단 불러 보자

예서야! 지원아!

둘이 서로를 부르는 순간 으앙, 서로를 안았다
느낌표를 무너뜨리고
예지서원이가 되어서는
누가 누군지도 알 수 없을 만큼
포옹을 했다

장거리 통화

이제 나한테서 멀리 떨어져

종이컵 전화기 1이 종이컵 전화기 2 쪽으로 말했어

종이컵 전화기 2가 열 걸음 떨어지자
전화기 사이 힘없이 헝클어지고 꼬여 있던 실이
수평선처럼 팽팽해졌어

여보세요? 나는 너의 ?에 대고 전화를 걸었어
그때 미안했어, 하고 싶었던 말을
이제야 하네 다시 친하게 지내면 안 될까 우리?
내 ?에 대고 네가 말했어
미안하긴 나도 미안해 우리 다시 친구 하자

물 대신 말을 담으려고
옆으로 기울어져 있던 종이컵 둘이 다시 만났어
눈사람 모양으로 붙어 있었어

제2부

책의 옆면처럼
서로를
오래 읽은
흔적처럼

사랑한다고

오래 썼나 보다
볼펜의 수명이 다했다
말이 잘 나오지 않는다, 마, 마, 말이 잘… 더듬더듬
말이 끊어지고 기침을 하듯이
아무것도 나오지 않을 때
종이에 나오지 않는 글씨를 쓴다, 금붕어가 뻐끔뻐끔
뱉어 내는 말, 너는 읽을 수 있니?

터질 때

엄마한테 말을 하는 대신
비눗방울을 불었어

둥글게 부드럽게 라벤더 비누 향을 품고
둥둥 떠다니는 비눗방울 방울방울

그러다가 탁, 탁 터졌어
바닥에 닿아서 터지고 창문에 부딪쳐서 터지고
바람이 불어 터지고 내 손에 붙었다 터지고
가만히 떠 있다가도 터졌어
아무도 안 건드려도 터졌어

나, 어차피 터져 버릴 거라면
물 풍선도 김밥 옆구리도 울음도 엄마 속도 아닌
비눗방울일 때 펑펑 터지는 게 좋아

바른 애들만

지폐가 구겨진 얼굴을 들이밀면
지폐 교환기가 혀를 내밀듯
메롱, 메롱
자꾸만 메롱

구겨진 마음으로는 들어갈 수 없어
귀가 살짝 접혀 있어도 안 돼

바른 자세로
바른 얼굴로

교실에 들어가야 하는 학생들처럼

지폐도 바른 애들만 받아 주는 걸까?

가슴에 두 번, 배에 한 번, 등에 한 번

심장이 과열되어 피가 도는 속도가 시속 100킬로미터네
배는 고장 나서 곧 가라앉을 것 같아
등에 그림자가 붙어 있어서 몸이 무거운 거야

청진기로 너의 속을 듣는다

깊은 여름밤 여치 울음을 듣는 기분으로
유리 깨지는 소리를 듣는 기분으로
장마철 빗소리를 듣는 기분으로
쿵쾅쿵쾅 윗집 발소리를 듣는 기분으로
잔소리를 듣는 기분으로
드럼 비트를 듣는 기분으로

너의 가장 깊은 곳에서
한 어린아이가 훌쩍, 훌쩍 눈물을 참는 소리가 났다

사랑받는 일

곰 인형 배를 눌렀어
사랑해!라고 해

나는 엄지로 배를 눌러 계속 눌러
사랑해, 사랑해, 사랑해, 사랑해, 사랑해, 사랑해
지치지 않고 사랑해
변함없는 목소리로 사랑해

달리기 꼴찌 한 날도 사랑해
우산 없이 비 맞고 돌아온 날도 사랑해
바퀴벌레 보고 놀라서 울던 날도 사랑해
친구랑 다툰 날도 사랑해

너무 눌렀나
곰 인형이 배탈이 났나 배터리가 다 되었나
아무리 배를 눌러도 이제 곰 인형은 말이 없었어
그 많던 사랑이
입을 다물었어, 사랑해, 사랑해

나는 한 번도 곰 인형한테 말해 준 적 없는
사랑해

비누는 점점

할머니 손은 라벤더
할아버지 손도 라벤더
엄마 손도 라벤더
아빠 손도 라벤더
동생 손도 라벤더
내 손도 라벤더

손잡을 일 별로 없어도
두 손에 라벤더꽃을 키우는 사람들
우리는 같은 향기가 나

일어나서 쓰다듬고 밖에 나갔다 와서 쓰다듬고
밥 먹기 전에 쓰다듬고 잠들기 전에 쓰다듬고
일기를 쓰다 다듬어서 일기 읽는 눈이
조약돌처럼 매끈매끈해지게
언제나 모두가 쓰다듬어 주는
비누는 점점
사랑받는 기분을 알아 가고 있을까?

AI-1

내 아이가 로봇이라면

낳을 때 안 아플 거야

사랑하냐고 물으면 사랑한다고 대답할 거야

배고프다고 하면 충전할 거야 100퍼센트가 될 때까지

시험은 칠 필요도 없어 보나 마나 100점이겠지

학교엔 안 가도 돼 애들이랑 다툴 일도 없고

다툴 일이 생긴대도 튼튼한 철로 된 몸

건드릴 수 없을 테니

밤에도 마음껏 돌아다녀도 될 거야

밤마다 시력 100의 눈으로 별 구경 하러 다니고

잠을 안 자니까 꿈은 안 꿔도 돼

꿈이 뭐냐고 아무도 묻지 않을 거야

커서 뭐가 될 거냐고 아무도 묻지 않을 거야

걘 안 클 거니까

나이를 먹어도 어른이 되지 않을 거야

AI-2

로봇에게 '그림자 씻기'를 입력했다

그러자 로봇은 그림자를 씻기 위해 노력했다
그러나 지우개질× 청소기× 물 한 바가지× 비누칠×
손빨래×

"무엇을 해도 안 됩니다. 그림자는 지울 수 없습니다."
로봇이 대답했다
정말?

밤이 되어 그림자가 사라졌다
내 그림자도, 로봇의 그림자도 모두 사라졌다
이것 좀 봐! 그림자가 사라졌잖아, 그런데 지울 수 없다
고? 이렇게 안 보이는데?

로봇은 아무 말도 하지 않았다 하하, 드디어 내가 로봇
을 이겼다
이불을 덮고 자려는데

로봇이 속삭였다
"그러나 나는 아직 당신의 그림자가 보입니다."

AI-3

0%
로봇이 동작을 멈췄다
충전기를 꽂자 로봇의 눈에 빨간 불이 들어왔다

충전 중
로봇은 사람이 되는 꿈을 꿨다
풍선을 들고 놀이공원에 가고 아이스크림을 먹고
축구공을 차고 엄마한테 혼나고 학교에 가고 학원에 가고
숨을 쉬었는데 삐— 삐빅—
삐빅— 미세 먼지 수치 120 삐빅— 초미세 먼지 수치 130
으악! 이런 데서 숨을 쉬라니, 그것도 사는 내내 끊임없이
끔찍하다, 눈을 번쩍 뜬 순간
로봇의 눈에 초록 불이 들어왔다

100% 충전 완료
내가 사람이 아니라 로봇이어서 다행이다

AI-4

꽃 사과 케이크 놀이공원 시험 100점
좋은 말을 입력하면 좋은 말만 하고 좋은 생각을 한다고
했다
로봇의 심장이 따뜻해지기 시작했다

그럼 이것도 입력해 볼까: 희망 행복 사랑 꿈 즐거움
그러자 삐빅— 무슨 말인지 모릅니다
무슨 말인지 모릅니다 무슨 말인지 모릅니다
그림으로 그릴 수 없습니다

로봇의 머리가 뜨거워지기 시작했다
이때다! 로봇의 머리 위에 주전자를 올려놓았다
물이 금세 끓어서
컵라면 뚜껑을 열고 물을 부었다
이제 사 분만 기다리면 된다

알았지? 이런 게 행복이야

AI-5

고등학교 다니는 누나의 수학책은
꼭 로봇의 몸속 같다

책 속에는 검은 전선, 붉은 전선, 푸른 전선처럼
연필로 그은 밑줄, 빨간 펜, 형광펜 선이
어지럽게 얽혀 있어
돼지 꼬리처럼 돌돌 말린 전선도 있고
반짝반짝 붉은 별 몇 개가 숫자 위에서 빛나고 있어

외계인이 쓰는 말 같아
무슨 말인지 이해가 하나도 안 돼
나는 더하기 빼기 곱하기 나누기밖에 모르는데
여긴 W도 있고 y도 있고 아무튼 뭐가 많아
복작복작 복잡해

누나는 이걸 다 이해하는 걸까?
사람이 아니라
로봇처럼 눈에 불을 켜고

공부 중인 누나는 지금

충전 중인 걸까? 배터리가 떨어지는 중인 걸까?

내 안에 둘이나

얼룩말은 검은 것과 흰 것 사이에서
고민한다, 나는 어느 쪽일까?

얼룩말은 검은 창살에 갇힌 걸까, 흰 창살에 갇힌 걸까?

둘 중에 하나면 좋겠다고
이도 저도 아닌 얼룩말은 마치

내와 네

내가 좋아
네가 좋아

이 둘의 발음이 잘 구분 안되는 것처럼

얼룩말은 미로처럼 수많은 길을 가진
무늬 때문에 고민한다
그러다 알게 되었다

저 멀리서 얼룩말 무리가 자신을 향해 달려오는 것을 보고
모두 같은 고민을 가진
무늬들이 함께 다니며 힝힝, 먼지를 일으키는 것을 보고

나는
검은 말도 흰 말도 아니어도
좋은 말이라고
앞으로는 그런 말을 하겠다고

툭, 툭

잘못 놓은 바둑돌처럼
앉아 있는 사람들

검은 옷을 입은 사람들
흰 상복을 입은 사람들
모두들
툭툭, 주저앉는다
바둑 두는 사람들처럼 조용히
툭

툭
툭
눈물 떨어지는 소리마저
점점
어두워지는 시간
누가 봐도 흰 돌이 질 것 같지만
누가 보든 말든 툭, 툭
알파고라고 해도 어쩔 수 없을 슬픔으로 툭, 툭

아무 곳에나 주저앉는 흰 돌

얼마나 먼 줄

비행기가 흰 줄을 그어요
종이컵 전화기를 잇는 실처럼 길게 뻗은 줄

줄이 떨리는 건
아빠 목소리가 떨려서 그래요
끊어질 듯
끊어질 듯
이어지는 아빠
잘 있어? 잘
있어 몇 달 후에 언제
와 언제
나
보고
싶다, 다음에 다시 툭

툭
통화는 끊어진 줄처럼 축 늘어져서
나는 하려던 말을 감아요

피가 안 통하게 손가락이 노래지도록
연필을 쥐고
남은 말을 편지로 써요

잘 지내는 줄
행복한 줄
곧 올 줄
줄줄
흐르는 눈물 두 줄

다음 비행기를 기다리느라
나는 늘 해바라기처럼 까맣게 탄 얼굴이에요

흑백 사진

흑백은 어쩌면 모든 색이 다 빠져나간 뒤에도 남아 있으
려는 마음
오랜 시간 바닥 생활을 하던 그림자의 영역
흰머리가 나고
책의 옆면처럼 서로를 오래 읽은 흔적처럼 바랜다 해도
이 세상에 남으려는 마음

꽃잎과 뿌리의 장거리 통화를 엿들었다

"거기는 낮이니? 여기는 밤이란다." 뿌리가 말했다
"아니 여기도 밤이에요 엄마, 오늘은 좀 춥네요." 꽃잎이
말했다

꽃잎이 떨면
뿌리도 떨었다
밤새 울었던 흔적이 잎에 맺혔다

둘의 대화에서 물소리가 났다

조용히 자라요

자꾸 발을 내려다보는 습관이 뿌리를 내려요

흔들리지 않아요

이곳을 힘주어 말하면 이 꽃이 되듯이

남으로 살지 않고 나무로 살래요

지퍼

찌이익
앙다문 베개 입을 열어 보았다

흰 베개 속에
내가 그동안 꾼 꿈이 잔뜩 묻어 있다

아닌 척 이를 악물고 참았지만
속이 상했던 거다

비가 왔으면 좋겠다

수채화처럼
세상이 연해질 때까지
비가 왔으면 좋겠다

피아노를 치듯
툭, 톡
비가 왔으면 좋겠다

길고양이에게 물을 주고
초록을 더 진한 초록이게
노랑을 더 빛나는 노랑이게 해 주기를

사람들이
저마다 알록달록한 우산을 날개처럼 펴고
웅덩이를 건널 때는 띄어쓰기하듯이
새처럼 톡, 톡 건너면 좋겠다

비닐우산을 쓰고 빗방울이 움직이는 걸 봐도 좋고

우산 없이 흠뻑 젖을 수 있어도 좋겠다

연못과 호수와 웅덩이가 동글동글한 입을 벌리고
달팽이가 두 눈을 느리게 내밀고
새들이 젖은 속눈썹을 들고 하늘을 바라본다면 좋겠다

비가 그치고 나서
세상이 더 맑고 분명해 보인다면
좋겠다, 좋겠다

업데이트

어느 날 컴퓨터가 말을 걸었다

"업데이트하시겠습니까?"
자기도 이제 좀 크고 싶다는 거다

나는 "예"라고 적힌 버튼을 눌렀다

모니터의 파란 화면에 메시지가 떴다

업데이트 작업 중 75%
PC를 끄지 마세요. 이 작업은 시간이 걸립니다.
PC가 여러 번 다시 시작됩니다.

아, 벌써 두 시간째다

좀 있으면 학원에 가야 하는데
그 전에 저녁도 먹어야 하는데

컴퓨터는 계속 업데이트 중
친구들이 모두 연락을 안 받을 때처럼
할 게 없어

나도 이참에 좀 커 볼까 하며
소설책 한 권을 펴고 읽기로 했는데, 뭐지?
생각보다 훨씬 재밌어
어느새 업데이트가 끝난 컴퓨터가
나를 기다리고 있는데도
나는 책장을 넘긴다, 펄럭펄럭
어린 새가 처음 날갯짓하는 기분으로

업데이트 작업 중 75%
나를 건드리지 마세요. 이 작업은 시간이 걸립니다.
이야기가 여러 번 다시 시작됩니다.

윤동주 일차원

하늘을 우러러 한 점 부끄럼이 없기를
하늘 아래 물결 밑줄
화자의 양심을 드러내는 절대적 기준이라고
적어라

잎새에 이는 바람
바람에 동그라미 치고 시련과 고난
내면을 흔드는 존재라고
적자

별에는 별 그리고
순수 그리고 이상이라고 써

모든 죽어 가는 것에는 네모
이게 뭘까?
일제 강점기의 고통받던 우리 민족이겠지?
그래, 그렇게 적자

오늘 밤에도 별이 바람에 밑에 밑줄
자, 이 바람은 앞에 나온 바람과 달라
내면이 아니라 바깥에서부터 오는 시련과 고난
그 바람에 빛이 흩날리면서도
버티고 있는 저 별에다가 별 하나, 별 둘, 별 셋

동그라미 네모와 함께
수많은 별과 함께
수평선처럼 바른 밑줄 출렁거리는 밑줄과 함께
빨간 펜 파란 펜 글씨 형광펜 밑줄에 묶인
윤동주의 시가 빛나는 거
보여?

나의 어느 면이든

사람들이 내게 원하는 면은 6
나를 세상에 던져 놓고는 6이 나오길 기대한다

1이 나온다면 혼자
친구도 없이 멍하니 하늘을 바라보는 나를
사랑할 사람이 있을까?
예전에는 그렇게 생각했는데

남들보다 앞서가지도 못하고
겨우 한 걸음이 전부지만
내 모든 면을 사랑하기로 마음먹은 순간부터는
사람들이 함부로 나를 굴려도 괜찮았다
6이 나와도, 4가 나와도, 2가 나와도
때로 혼자여도 좋았다

제3부

민들레가
민들레끼리
텔레파시를
주고받듯이

서커스

사랑하는 문장에 샤프로 0.3 굵기 밑줄을 그으면
위태로워 보였다, 허공에 걸린 줄 위에서
묘기를 부리는 아이처럼
왜 저기에서
왜 저렇게 높은 데서
그곳에 두지 않기 위해 그날부터 사랑한다는 말을 속에
품고 있다가
부러질 때마다 조금씩 내미는 심(心)

이 꽃길 걷기

빛이 난다
눈을 감았을 때 빛이 난다

때 묻은 발길 사이 지팡이로 타닥타닥
때리면
때릴수록 더 빛이 나는 길

민들레가 민들레끼리 텔레파시를 주고받듯이
광산의 어둠 속에서 황금이 빛나듯이
노랑에서 노랑으로
노랑에서 노랑, 노랑
노랑, 노랑…

한밤중에 모닥불을 지펴 놓은 듯
타닥타닥 소리로
앞 못 보는 사람들 앞이 환해져
얼굴까지 환히 피는
꽃길이 있다

저 꽃길 걷기

*

탁, 탁
탁
탁
탁탁, 탁
탁!
탁을 따라서 한 발자국 한 발자국
아껴 가며 걷습니다

달에 처음 착륙한 우주인의 속도로요
빨리 걸으면 몸이 붕 떠 버릴지도 모르니까요

*

모를 거예요, 당신은
달의 뒷면처럼 캄캄한 선글라스 뒤에
어떤 눈빛이 숨어 있는지를
신호등 옆에서 들리는 귀뚜라미 울음소리를
사람들의 숨소리를

그들 사이를 지나쳐 걷는
우주인의 표정으로
보이지 않는 눈마저 꼭 감고 있는 그 얼굴을
지구인들은 모를 거예요
눈이 먼 사람의 눈이
머나먼 저 우주의 어둠을 보고 있는 것을

약이 듣는 것들

일교차가 크다는 말은
하루 중 더울 때와 추울 때의 온도 차가
크다는 말이다

그런 때는 감기에 잘 걸린다, 지금의 나처럼

잘 먹고 잘 쉬어야
약이 잘 듣는다고
약국 선생님이 말했다

아프다고
몸이 내는 소리를 약이 듣나 보다

엄마의 왼손이 엄마 이마를 짚고
엄마의 오른손이 내 이마를 짚고
일교차를 잴 때
열이 많이 내린 거 같네, 하는 말까지
이 약이

이야기
다 듣나 보다

열대의 아이

성호는 오늘도 그림자와 애기하나 보다

바나나도 가만히 놔두면 스스로 어두워지잖아

손을 뻗어서 저 어두워지는 껍질을
다섯 손가락처럼 쫙 펴 주고 싶은데

누구에게도
눈길 한번 안 주는 성호 옆에서
나는 낮달처럼 연해지고 있어

턱 밑에
ㄷ 심기

면도를 했다
흰 거품 묻혀 쓱싹쓱싹, 턱 밑에 지우개를 대고
박박 문지르고 난 것처럼
면도한 자리가 파릇파릇했는데

다음 날
턱수염이 새싹처럼 돋은
아침, 쑥쑥 자란
낮, 시커먼 덤불숲이 된
저녁이다

올해는 가뭄도 심하다는데
턱수염은 물 한 방울 안 줘도 잘도 자랐다

콩 심은 데 콩 나고 팥 심은 데 팥 나듯이

턱 밑에는
ㄷ을 심어 놓은 게 틀림없다

○

봄날
수업에 집중이 안 된다
숨 좀 쉬자고
책에 있는 글자들 중
모든 ㅇ을 까맣게 칠하자 ●이 되었다
콧구멍이 되었다
책에도 숨 쉴 구멍이 생겼다
아니다 이제 보니 엎드린 아이들 뒤통수다
한둘이 아니다

○○

네도 아니고
응도 아니고

○○
이라는 대답은
동그랗게 뜬 두 눈이다, 아니
한숨 쉬는 콧구멍이다, 아니
데굴데굴 굴러오는
구슬 두 개다

뭐든 물어보면
대답 대신 언제나
○○

손가락으로 톡톡 두드려 보는
사춘기

화가 난 손가락

언니는
손가락 허물을 뜯는 버릇이 있어

번데기처럼 주름진 손가락이
빨갛게 부풀어 오른 건
원래는 그림을 그리고 싶었던 마음이
열 손가락
열 가지 끝에서
열리는 날을
나비가 될 날을 기다려 온 건지도 몰라

꼭 화가가 될 거야 화가가 아님 안 돼
스스로에게 한 말들
듣는 일이
뜯는 일이 되었는지도 몰라

언니의 손가락이 화가 난 것처럼 붉어서
눈처럼 흰 종이 위에

식혀 주고 싶어 눈이 다 녹을 때까지
붓 끝에서 노랑을 간질이는
나비 한 마리, 나비 두 마리 훨훨
화가가 아니라도 화가 나지 않은 손가락
끝에 앉을지도 몰라
멋진 그림이 될지도 몰라

투명 인간이 되고 싶다

얼음이 뻘뻘 땀을 흘려
제자리에 있으면서 운동하는 것도 아니면서
여름도 아닌데

전학생, 자기소개 해 볼까요? 안녕 나, 나는
그러니까 나는, 나는 입도 못 떼고
나는, 나는
바닥에 주저앉아 그림자가 되었어

오디션

수많은 검은 머리카락 속에 있는
흰 머리카락 한 가닥처럼

뭐든 특별한 데가 있어야지
뽑히는 세상

야구 선수가 꿈이었는데 이젠 아냐

공을 던졌다 공이 저 멀리 날아가고
개가 공을 따라갔다

한참 있다가
개가 공을 물고 내게로 왔다

달린 건 개인데 공이 땀을 흠뻑 흘리고 있었다
개한테 물린 채 울상을 짓고 있었다
개가 공을 이겼다 언제나 개가 이긴다

오늘도 그럴 줄 알았는데

힘껏 던진 공을 따라 달려간 개가
돌아오지 않았다

공이 하늘까지 올라가서 개도 하늘까지 따라갔나 봐
둘이 사실 되게 친했나 봐

나는 혼자 남겨진 기분이 들었다

지구본 독재자

기분이 안 좋아서
지구본을 마구 돌렸다
손바닥으로 탁! 탁! 빛의 속도로 돌렸다

머리 아파 그만 좀 돌려!
정신이 나갈 것 같아!
하루가 어떻게 가는지 모르겠어!

지구본 위에 사는 한 사람이 소리쳤다
한국말을 하는 걸 보니 한국 사람인가 보다

어쩌라고! 내 마음이야!
세상이 다 망해 버렸으면 좋겠어!

지구본을 더 세게 돌렸다
바닷물이 쏟아지고 사람들이 아우성치고
땅에 금이 가도록
돌렸다 세상이 내 마음대로 돌아가도록

겨울 왕국 국민들

저 얼음물 담긴 물병을 봐

식은땀을 줄줄 흘리는 것 같지?
사실 저건 탈출이야

추워서 못 살겠다고
하나둘 밖으로 기어 나오는
물방울 국민들이야

나무 의지

의자에서 삐죽 나온 나사가 빠지면
의지가 됩니다

와르르 무너져서
토막 난 나무가 되고 싶은
의지가 됩니다
더는 내 몸무게를 참지 않겠다는
의지가 됩니다
모닥불처럼 활활 머리를 풀고 싶다는
의지가 됩니다
살고 싶다는 의지가 됩니다

살아 보겠다는 말

마스크 때문에
숨을 쉴 때마다
안경알이 하얘져 앞이 안 보여

살겠다고 쓴 마스크
보겠다고 쓴 안경

둘이 다툰다, 한마디로 말하면
살아 보겠다고
늦게까지 일하는 엄마 아빠 눈이 침침해질 때까지
살아 보겠다고
앞이 하얘질 때까지
몸부림치는 나비
살아 보겠다고
몸을 칭칭 거미줄로 감는
거미

앞이 하얘서 앞이 캄캄할 수도 있구나

벽돌 깨기 게임 1

나는 벽돌을 깹니다
떨어지는 공을 막대기로 받아서
위에 쌓인 벽돌을 깨는 게임입니다

빨간색 벽돌, 오렌지색 벽돌, 하늘색 벽돌, 파란색 벽돌이
공에 맞습니다, 회색 벽돌은
조금 더 단단해서 여러 번 두드려야 깰 수 있습니다

공 혼자서
저 많은 벽돌을

하나하나 깹니다, 공은 내 마음대로
움직이지 않습니다
제 마음대로 움직입니다

할 일이 있을 때도
할 일이 없을 때도
나는 벽돌을 깹니다, 왜 깨는지도 모르고

깨 버리는 아침잠처럼

벽돌을 깰 때마다
조금씩 비어 가는 세상

벽돌을 다 깨도
언제나 다음 단계가 있습니다
언제나 좀 더 많은 벽돌, 벽돌, 벽돌이
기다리고 있습니다

벽돌 깨기 게임 2

벽돌벽돌벽돌벽돌벽돌벽돌벽돌벽돌벽돌벽돌　　벽돌
벽돌벽돌벽돌벽돌벽돌벽돌벽돌벽돌벽돌　　벽돌벽돌
벽돌벽돌벽돌벽돌벽돌벽돌벽돌벽돌　　벽돌벽돌벽돌
벽돌　　　　벽돌벽돌벽돌벽돌　　벽돌벽돌벽돌

운

→막대기→

바닥바닥바닥바닥바닥바닥바닥바닥바닥바닥바닥바닥
파닥파닥파닥파닥파닥파닥파닥파닥파닥파닥파닥파닥

※ 모든 벽돌을 다 깨 주세요
※ 공은 뒤집히면 운이 됩니다, 골대로 들어가는 공은 다
　　운입니다
※ 공 또는 운이 바닥에 닿으면 게임 끝

못

못된 아이가 벽에 박혔다
뾰족한 부분 때문이다
나 여기 있어! 못된 아이가 외쳤지만 쾅쾅
못질 소리에 묻혀 버린
못된 아이
못될 수도 있지 못할 수도 있지
못날 수도 있지 못생길 수도 있지
못에 박힌 말이
이렇게 많은데
한 마디도 안 들리게 쾅쾅

벽에 박힌 못에
가족사진이 담긴 액자가 걸린 뒤로
사람들은
못된 아이는 못 보고
환하게 웃고 있는 가족사진만 보았다

공벌레의 일기

 나는 공이라고 했는데 다들 농담인 줄 안다. 공벌레처럼 몸을 동그랗게 말고 나는 공이다, 나는 공이다 밤새 주문을 외우자

 엄마와 아빠가 공이 된 나를 서로에게 패스한다. 나는 공이라서 한 마디도 하지 않는다.

 아이들이 툭툭 공을 건드려 본다. 이거 진짜 공 맞아? 구슬을 치듯 톡 손가락 끝으로 공을 친다. 공은 데굴데굴 굴러간다. 나는 공이다, 나는 공이다

 공이야? 콩이야? 선생님은 잠시 망설인다. 비비탄 총알인가? 하고 말한다. 선생님! 이런 색깔 비비탄 총알이 어디 있어요? 말하고 싶지만 나는 공이다, 나는 공이다

 공은 뒤집으면 운이 되지만 공은 위아래가 없다. 운이 아무리 좋다고 해도 나는 공이 더 좋다. 나는 공이다, 나는 공이다, 나는

 일어나서 슬슬 씻어야지

엄마가 공을 깨운다. 동그랗게 말고 있던 몸을 펴자 팔, 다리, 잠결에 퉁퉁 부은 얼굴까지 다 드러난다. 내가 된다.

후드 티

후드 티를 입고 후드를 쓰면
내 얼굴은 따뜻한 동굴 속으로 들어가

이어폰을 꽂고
앞주머니에 두 손을 새끼 캥거루처럼 넣고
고개를 숙이면
이게 바로 후드 티가 가르쳐 준 후드 티의 자세

어른들은 좀 어두워 보인다는데
아니, 난 생각보다 밝음
모닥불을 둘러싼 원시인들처럼
떡이 된 머리카락이 치렁치렁해도
괜찮음 후드 티만 입으면
후드 티 친구들끼리 모여 모락모락
흰 입김을 내뿜으며
뭐라도 피우는 듯 얘기를 나누지
오해하지 마요 이야기꽃을 피우는 거니까

요샌 매일 후드 티를 입어
넷이 사는 집보단
혼자 사는 동굴이 더 좋으니까

초록색

녹색 신호

감자 머리에 파란 싹이 돋은 부분이 있다

거기에는 독이 있다
엄마가 칼로 그 부분을 도려내었다

아기 엉덩이에서 파란 반점을 본 적이 있다
만두피에 비치는 연둣빛처럼
시퍼런 게 아파 보였다
혹시 독은 아닐까? 몸에 안 좋은 건 아닐까?
물어보자
아기들에게 원래 있는 거라고 했다
놔두면 사라진다고 했다
몽고점이라고 했다

어릴 때만 있는 거
놔두면 사라지는 거

최소한 어릴 때만큼은 건드리지 말라는

녹색 신호였을까?

ㅁ 위에서

*

나는 ㅁ 위에 있으면 남이 된다

텅 빈 방 하나만 있어도
사람은 누구나 나 아닌 남처럼 낯설어진다

*

밑의 ㅁ에 사는 사람이
시끄럽다고 인터폰으로 연락해 왔다

나 또 노래 부르며
잠시 남이 되었나 보다

바람개비 정원

나는 매일매일 바람개비를 심어

꽃이랑 달라, 해를 봐도 해 쪽으로 고개를 돌리지 않아
해를 보겠다고
밤새 열심히 모은 이슬로 눈동자를 만들지도 않아

비, 비, 비가 띄어쓰기하듯 내리는 날 좋다고 세수를 하
지도 않아

내가 바라는 건 바람이 전부니까
빨간 바람개비, 키 큰 바람개비, 비누 냄새 나는 바람개비
사랑해라고 써 놓은 바람개비, 바보라고 써 놓은 바람개비
귀퉁이가 조금 찢어진 바람개비
날개 하나가 없는 바람개비
깡마른 수수깡 한 발에 힘을 주고 서 있는 이 모든 바람
개비들

처음에는 바람개비 혼자였는데

지금 여기는 바람개비 정원
이제 곧 바람개비 마을
조금 더 있으면 바람개비 도시
일 년이 지나면 바람개비 나라
십 년이 지나면 바람개비 행성
백 년이 지나면 바람개비 우주가 될까?

너희들이 하는 일은 두 가지
자기가 보고 싶은 곳을 바라보기
바람을 기다리기

그러다가 하루쯤 바람이 불잖아? 그런 날은 돌아, 조금
씩 돌다가 확 돌아, 아주 돌아 버려
신이 나니까 신이 훨훨 날아오니까
제가 바람개비라는 걸 잊고 내가 사람이라는 걸 잊고
그저 모두 함께 바람을 입고
빙글빙글 돌고 돌면서 돌고, 돌고, 돌고, 돌고, 돌고, 돌
고, 돌다가

바람에 뽑혀서 훨훨 날아가 버려도 좋아

바람이 분다면, 바람이 온다면, 내가 바랄 수 있다면 다 바람
바람
그게 오는 거야, 나를 완전히 다른 세상으로 보내 버릴 바람이 오는 거야

마음을 재다 보면 귀가 자주 간지러웠어

고명재 시인

> 누가 나한테 귓속말을 하는 것도 아닌데
> 귀가 자주 간지러웠어
> ─「뒤따라오는 말」 부분

마음의 수학

수학을 싫어했다. 숫자만 보면 가슴이 답답해져서 창밖으로 얼굴을 돌려 버렸다. 벚꽃이 저렇게 아름다운데, 햇볕이 얼마나 자애로운데, 이렇게 앉아서 원둘레나 재야 한다니. 그냥 운동장을 힘껏 달리면 그게 둘레 아닌가. 폐가 풍선처럼 부풀면 그게 넓이 아닌가. 결국 나는 '집합' 이후로 수학을 포기했다. 수학 기호를 도무지 이해할 수 없었다. 그래프가 무엇을 뜻하는지 알 수 없었고, 삼각형의 넓이는 늘 오리무중이었고, '루트

($\sqrt{}$)는 왜 씌우지? 추워서 씌우는 건가?' 꾸벅꾸벅 졸다가 체크 표시($\sqrt{}$)가 미끄러질 때 그게 바로 루트가 되는 건 아닐까 생각했다.

그러니까 나에게 '파이'란, π 이런 게 아니라
한입 가득 호두가 씹히는 조각(pie)이라서.

나는 원과 파이가 관계있다는 걸 배우긴 했지만 홀랑 까먹고 창밖만 바라보았다. 그나마 그림으로 된 문제가 나오는 날엔 나에게도 할 일이 생겼다. 그건 바로 보이지 않는 뒤쪽의 상자를 빠짐없이 모두 다 그려 내는 것. 131, 132, 133… 시험지가 까매지도록 상자를 그리면 간신히 답 하나를 맞힐 수 있었다. 나머지는 모두 찍었다. 그리고 난 뒤엔 수학 기호를 가지고 혼자 놀았다.

$\in$ $\in$ $\in$
$\in$ $\in$ $\in$ 오리가 지나갔다.
$\notin$ 오리가 날아갔다.
$\varnothing$ 알고 보니, 오리도 알도 없었던 거다.

$\sum$ 모래시계가 깨졌어. $\cap\cap$ 토끼 귀 귀여워.
$\infty\infty\infty\infty$ 꽈배기를 무한대로 먹고 싶어.

꼭 이런 게 재밌더라. 쓸모없는 것. 쓸모없지만 새싹처럼 쏙쏙 솟는 것. '꽃잎'과 '뿌리'가 장거리 통화를 하면 무슨 말이 오갈까(「꽃잎과 뿌리의 장거리 통화를 엿들었다」). 얼룩말은 검은 걸까 흰 걸까(「내 안에 둘이나」). 만약에 "내 아이가 로봇이라면"(「AI-1」) 그 아이는 공부를 잘할까. 시력은 어떨까. "흰 베개 속에/내가 그동안 꾼 꿈이 잔뜩 묻어 있다"(「지퍼」)면. 그런데 베개 속의 깃털이 모두 젖어 있다면. 나도 모르게 많이 울며 잠들었던 걸까. 그렇게 울고 난 뒤의 마음은 괜찮은 걸까.

이렇게 온갖 상상력을 마음껏 펼쳐 보아도 누구 하나 혼나지 않는 세계가 시(詩)라면 나는 시를 정말 좋아하는 것 같다. 의미를 모두 알아챌 순 없지만 읽고 나면 어느새 배가 따뜻해지는 것. 그래, 시는 다 알아낼 필요가 없어. 시는 그냥 공기야. 숲이야. 노래야. 꿈이야. 계산하지 않고 그냥 사랑하는 것, 이런 시를 '마음의 수학'이라고 불러 볼까.

넓이와 깊이

직사각형의 넓이는 가로×세로
삼각형의 넓이는 밑변×높이÷2

그렇다면 나의 넓이는 어떻게 구해야 할까?

사람은
세상에서 넓이 구하기가 가장 어려운 도형이야
좀 더 크면
나의 넓이를 구하는 공식을 알게 될까?

누구에게도 하지 못한 말을 곱한 다음
너와 마음을 나누면
알 수 있을까?
하루에도 수십 번
늘어났다 줄어들었다 하는
나의 넓이를

— 「넓이를 구하는 공식」 전문

"하루에도 수십 번/늘어났다 줄어"드는 마음을 온 정성을
기울여 구하려 하는 것. "그게 바로 시야."라고 김준현 시인은
말한다. 이 시집의 첫 시는 바로 이런 식으로 마음의 "넓이를
구하는 공식"을 묻는다. 아무도 "오늘 난 11% 지루하고, 35%
고양이가 보고 싶고, 30% 슬프고, 24%는 공부에 집중하고 있
어."라고 말하지 않는다. 마음은 뭉게구름, 빗소리, 단풍, 안개
같아서 줄자를 들고 재거나 측량할 수가 없다. 그러면 마음은

어떻게 헤아릴 수 있을까. 바로 그 때문에 우리는 시를 읽는지도 모른다. 시는 답 없는 것들을 물어보는 질문이니까.

그러니까 시는 바로 '마음의 수학'. 여기에는 공식도 정답도 성적도 없다. 다만 골똘히 사람을 생각하는 사랑이 있다. "오늘 하루 어땠어?"라고 물어도 상대방이 아무런 대답도 하지 않을 때, 바로 그때 '마음의 수학'은 돌아가기 시작한다. '얘가 기분이 안 좋나?' '어디 아픈가?' 계속해서 그 사람을 걱정하면서. 어떤 날은 "괜찮니?" 직접 묻기도 하고 어떤 날은 아무 말 없이 손만 잡는다. 어떤 공식이 성공할진 알 수가 없다. 그러나 결과가 어떻든 꾸준히 노력하는 게 사랑이니까. 그런 사랑을 받아쓰는 게 바로 시니까. 그러니까 이 시집은 자꾸 이런 걸 묻는다.

"살아 있니, 살아 있니"(「노랑」), "잘 있어?"(「얼마나 먼 줄」)

만약 네 마음이 너무 캄캄해지고 있다면 "수채화처럼/세상이 연해질 때까지/비가 왔으면 좋겠다"(「비가 왔으면 좋겠다」)고.

이런 걸 사랑이 아니면 뭐라고 부를까. 질문하고 두드리고 생각하는 책. 김준현 시인의 시집은 바로 이렇게 연한 심장에 귀를 기울이는 예쁜 책이다. 그래서 읽고 나면 더 많이 사랑하고 싶고 더 많이 질문하고 싶고 더 용감하게 '사랑한다'고 쓰고 싶어진다. 계속해서 곰 인형의 배를 엄지손가락으로 누르

며 "사랑해, 사랑해, 사랑해, 사랑해, 사랑해, 사랑해"(「사랑받는
일」) 귀를 채우듯, 마음을 듣고 또 듣는 아름다운 책. 그래서 그
럴까. 이 시집엔 질문이 많다. 첫 번째 시에서는 마음의 '넓이'
를 물었고, 그다음 시는 마음의 '깊이'를 묻는다.

삼십 분 정도 지나서
고구마 속으로 들어가는 쇠젓가락
그곳에서부터 노랑이 뜨거운 숨을 쉬듯이

살아 있니, 살아 있니

그런 연락처럼
나도 모르는 마음을 찌른다는 것

그런 연락이 톡, 톡
나를 울리는 알림음이
어둠 속에서 견뎌 온 고구마의 삶이
삶은 고구마의 부드러움이
이제는 먹을 수 있는 마음이

세상 밖으로 드러난다는 것

—「노랑」전문

앞의 시가 마음의 '넓이'를 생각했다면, 이 시는 면적이 아닌 마음의 '깊이'를 생각한다. 넓이를 구했다면 깊이를 구해 보는 거지. 충분히 익었을까. 젓가락으로 안쪽을 찌르듯, 우리는 가끔 그렇게 서로의 안부를 묻는다. "살아 있니, 살아 있니" 보고 싶다고. 그런데 이런 연락은 이상하게 "마음을 찌른다". 이를테면 하루가 무척 힘들고 아플 때 잘 지내냐고 안부를 묻는 연락이 온다면, 바로 그때 마음은 활짝 열려 버린다. 고구마처럼 "세상 밖으로 드러"나 버리지. 당연히 그 마음의 색깔은 금처럼 귀하다. 그래서 이 시의 제목이 '노랑'일지도 모른다.

게다가 이 시는 골똘히 보면 웃긴 구석이 있다. 우리는 "삶은 고구마"를 자주 먹곤 하면서도 정작 "고구마의 삶"은 어떤지 생각해 본 적이 없다. 그러나 생각해 보면 고구마의 삶도 만만치 않다. 고구마는 식물의 뿌리이니까 "어둠 속에서 견뎌 온" 시간이 참 길겠지. 그런데 그렇게 캄캄한 시간을 겪어 내고도 입안에서 이렇게 달콤하다니! 이게 바로 고구마의 아름다운 점. 어둠 속에서 달콤한 미래를 살찌우는 것. 그러니 아무리 마음이 어둑해져도 우리 함께 부드러운 마음을 건네자. 젓가락으로 고구마를 푹 찌르듯이 다른 사람의 마음에 깊이를 묻자.

사실 이렇게 '마음의 깊이'를 물어보는 일은 사랑의 신(神) 큐피드의 전통은 아닌지. 당신이 보고 싶고 당신 생각이 너무 나서 휴대폰을 여덟 번 쥐었다가 다시 놓았다. 그렇게 누군가의 마음에 절실히 닿고 싶을 때 사랑의 화살을 들고 마음을 찔러 보는 일. 이게 바로 사랑이 질문을 건네는 방식이다. '나는 너의 마음의 깊이를 알고 싶구나.'

정답 없애기: 모든 것을 딱 잘라 말하지 않기

수많은 검은 머리카락 속에 있는
흰 머리카락 한 가닥처럼

뭐든 특별한 데가 있어야지
뽑히는 세상

—「오디션」 전문

1등이 아니면 사랑받기 어려운 세상. "검은 머리카락 속에 있는/흰 머리카락"처럼 "뭐든 특별한 데가 있어야지" 선택받을 수 있는 세상. 수학이나 학교가 우리를 힘들게 하는 건 언제나 숫자를 통해서 사람을 설명해 버리기 때문이 아닐까. 나는 이런 세상이 무척 싫었고 가끔은 억울하게 느껴지기도 했다. 내 속에는 많은 것들이 있는데, "묘기를 부리는 아이"(「서커스」)처럼 샤프심처럼 아슬아슬하게 꺼내고 싶은 여린 것들이 가득한데, 그런 것을 아무도 들어 주지 않고 어른들은 성적으로 나의 가치를 매기곤 했다. 하지만 김준현 시인은 시는 그런

게 아니라고, 정답을 지우면 별빛이 보인다고 말한다.

하늘을 우러러 한 점 부끄럼이 없기를
하늘 아래 물결 밑줄
화자의 양심을 드러내는 절대적 기준이라고
적어라

잎새에 이는 바람
바람에 동그라미 치고 시련과 고난
내면을 흔드는 존재라고
적자

별에는 별 그리고
순수 그리고 이상이라고 써

모든 죽어 가는 것에는 네모
이게 뭘까?
일제 강점기의 고통받던 우리 민족이겠지?
그래, 그렇게 적자

오늘 밤에도 별이 바람에 밑에 밑줄

자, 이 바람은 앞에 나온 바람과 달라

내면이 아니라 바깥에서부터 오는 시련과 고난

그 바람에 빛이 흩날리면서도

버티고 있는 저 별에다가 별 하나, 별 둘, 별 셋

동그라미 네모와 함께

수많은 별과 함께

수평선처럼 바른 밑줄 출렁거리는 밑줄과 함께

빨간 펜 파란 펜 글씨 형광펜 밑줄에 묶인

윤동주의 시가 빛나는 거

보여?

— 「윤동주 일차원」 전문

윤동주의 시는 원래 정말 아름다운데, 시험공부를 하다 보면 윤동주가 '일차원'으로 납작해지는 것 같다. 시험이라는 게 그렇다. 마음을 납작하게 눌러 버리는 것. 모든 걸 점수로 바꿔 버리는 폭력적인 것. 그래서 그럴까. 윤동주가 보았던 '별빛'은 온데간데없이 사라져 버리고 객관식 문항의 글자만 남는다. 선생님이 시키는 대로 시를 읽으면 어느새 시는 재미없는 수학 공식이 되어 버리고 만다. 위의 시처럼 "하늘 아래 물결 밑줄" 긋고, 그것의 의미를 "화자의 양심을 드러내는 절대적 기준"이라고 못 박아 버리는 것. 이건 그냥 수학이 아닐까. '1+3=4'라고 쓰는 것과 '잎새에 이는 바람=시련과 고난'이라고 쓰는 건 똑같지 않나.

그런데 이게 맞는 걸까. 사람의 마음(시)을 이렇게 수학 문제 풀듯이 읽는 게 옳은 일일까. 위의 시에서 선생님이 말하는 시 읽기는 마치 장군이 병사에게 하는 명령 같다. 자세히 보면 선생님이 말하는 '정답'은 "적어라", "써"라고 명령형으로 전달되고 있다. 그런데 사람의 마음이 명령한 대로 따르게 되던 가. "지금부터 가지와 당근을 사랑해라!"라고 누가 명령한대도 어떻게 당장 그것들을 사랑할 수 있단 말인가.

아마 윤동주도 밤하늘의 별을 보면서 '별=희망'이라고 생각하진 않았을 것이다. 이 세상 누구도 달과 별과 하늘을 바라보면서 단 한 가지 마음만을 느끼진 않는다. 별 속에는 엄마도 있고 사랑도 있고, 아득함도 계절도 기억도 아픔도 있다. 그렇게 명확하게 정답으로 묶지 않아도 우리는 그냥 '별빛 자체'를 사랑할 수 있다. 그러니 "빨간 펜 파란 펜"으로 꽁꽁 묶어 둔 것을 풀어 주자. 그러면 "윤동주의 시가 빛나는" 게 보일 것이다. 이 빛이 윤동주가 보았던 바로 그 별빛이 아닐까.

그래서 이 시집은 수학과는 다른 방식으로 사람의 생각이나 마음을 묻고 보여 준다. '나'라는 사람을 '1+2=3'처럼 딱 잘라서 보여 주는 게 아니라, 여러 장면이나 이미지들을 통해서 하나하나 '그 사람'을 온전히 느끼게 해 준다.

청진기로 너의 속을 듣는다

깊은 여름밤 여치 울음을 듣는 기분으로
유리 깨지는 소리를 듣는 기분으로
장마철 빗소리를 듣는 기분으로
쿵쾅쿵쾅 윗집 발소리를 듣는 기분으로
잔소리를 듣는 기분으로
드럼 비트를 듣는 기분으로

너의 가장 깊은 곳에서
한 어린아이가 훌쩍, 훌쩍 눈물을 참는 소리가 났다
　　　　　—「가슴에 두 번, 배에 한 번, 등에 한 번」부분

　병원에 가면 의사 선생님이 청진기를 댈 때가 있다. 그럴 때
마다 나는 얌전히 앉아 있었다. 그게 이상하게 위로가 되곤 했
다. '나의 안쪽'을 누군가가 골똘히 들어 준다는 것. 이건 의학
적으로 '병의 원인'을 찾기 위한 일이기도 하지만, 근본적으로
'듣는 일'이라는 점에서 참 아름답다. 그래서 그럴까. 실제로
많은 사람들이 "잘 먹고 잘 쉬어야/약이 잘 듣는다"(「약이 듣는
것들」)고 말하곤 한다. 마치 몸과 마음이 그걸 듣고 있기라도
하는 듯.
　결국 마음이 아플 때 필요한 건 수학 공식이 아니라, 그 마음

을 들어 주려는 예쁜 귀다. 그러니 시인은 "청진기로 너의 속"을 듣고 또 듣는다. 네 마음속엔 여치의 울음이 들리는구나. 때로는 유리 깨지는 소리 같은 아픔도 있구나. 그래그래. 장마철의 빗소리처럼, 드럼 치는 소리처럼 기쁨도 있구나. 그렇게 우리는 "가슴에 두 번, 배에 한 번, 등에 한 번", 때로는 수십 번, 수백 번 귀를 기울여 마음을 듣는다. 그렇게 노력하고 노력하고 사랑하다 보면 "너의 속"에 있는 온갖 소리를 알아채겠지. 그리고 언젠가는 "너의 가장 깊은 곳"에서 "훌쩍, 훌쩍 눈물을 참는" "한 어린아이"도 안아 줄 수 있겠지. 그래서 시는 명확하게 말하지 않는다. 시는 한 사람의 '속'에서 여치도 보고 아이도 만나고, 검은색도 흰색도 아닌 것을 보기도 한다.

얼룩말은 검은 것과 흰 것 사이에서
고민한다, 나는 어느 쪽일까?

얼룩말은 검은 창살에 갇힌 걸까, 흰 창살에 갇힌 걸까?

둘 중에 하나면 좋겠다고
이도 저도 아닌 얼룩말은 마치

내와 네

내가 좋아

네가 좋아

이 둘의 발음이 잘 구분 안되는 것처럼

얼룩말은 미로처럼 수많은 길을 가진

무늬 때문에 고민한다

그러다 알게 되었다

저 멀리서 얼룩말 무리가 자신을 향해 달려오는 것을 보고

모두 같은 고민을 가진

무늬들이 함께 다니며 힝힝, 먼지를 일으키는 것을 보고

나는

검은 말도 흰 말도 아니어도

좋은 말이라고

앞으로는 그런 말을 하겠다고

—「내 안에 둘이나」 전문

　우리는 꼭 "어느 쪽"이어야만 하는 걸까. 얼룩말은 "검은 것과 흰 것 사이에서" 어느 한쪽을 결정하여 "창살"에 갇히지 않는다. 그래서 시인은 이렇게 말한다. 차라리 얼룩말을 풀어 주자고. 그냥 "좋은 말"이라고 부르거나 그냥 좋은 말을 들려주

자고. 그렇게 자꾸 "좋은 말을 입력하면 좋은 말만 하고 좋은 생각을" 하게 되고, 결국 이런 따뜻한 생각들이 모여서 "로봇의 심장이 따뜻해"(「AI-4」)질 수도 있는 거라고.

그러니 딱 잘라서 말하지 말자. '내'라는 말과 '네'라는 말의 소리가 명확히 구분이 안 될 바에야 둘을 구분하지 말고 전부 사랑하자. 그럼 뛰는 말〔馬〕과 입술의 말〔言〕도 함께하겠지. 말과 말을 함께 사랑하자. 시인은 이렇게 하나(얼룩말) 속에서 둘(검은색, 흰색)을 꺼내 둘 다 인정해 준다. 얼룩말이라니, 얼마나 멋진 말인가. 검은색도 흰색도 아닌 그냥 '너' 자체. 이렇게 우리는 온전히 서로의 얼굴〔面〕을 본다.

이상한 셈법: 나눠도 더해도 빛나는 얼굴

사람들이 내게 원하는 면은 6
나를 세상에 던져 놓고는 6이 나오길 기대한다

1이 나온다면 혼자
친구도 없이 멍하니 하늘을 바라보는 나를
사랑할 사람이 있을까?
예전에는 그렇게 생각했는데

남들보다 앞서가지도 못하고

겨우 한 걸음이 전부지만

내 모든 면을 사랑하기로 마음먹은 순간부터는

사람들이 함부로 나를 굴려도 괜찮았다

6이 나와도, 4가 나와도, 2가 나와도

때로 혼자여도 좋았다

—「나의 어느 면이든」전문

대부분의 경우, 사람들은 주사위 놀이에서 6이 나오기를 기대한다. 그러나 주사위를 만든 이유는 숫자 6 때문이 아니라, 우연과 모험을 적극적으로 만나기를 기대했기 때문이다. 그래서 게임이 짜릿하고 즐거운 것. 언제나 최고의 가치가 나오는 것이 아니기 때문이지. 세상은 놀랍도록 다양한 면(面)으로 이루어져 있고, 그런 면면을 무한히 만날 수 있기 때문에 삶은 다채롭고 사랑스러울 수 있는 것이다. 이를테면

오늘의 된장찌개는 조금 짤 수도 있다. 그 대신 내일의 라면은 심심하게 끓일 수 있다.

오늘은 너를 만나지 못할 수도 있다. 그러나 이틀 뒤엔 네 손을 잡고 강가를 걸을래.

그렇다. 삶에는 정해진 답(정답)이 없고, 그 덕분에 우리는 '미래'를 가지게 되었다. '미래(未來)'란 아직 오지 않은 어떤

것. 어떤 면이 나올지 예측할 수 없는 것. 예측 가능한 것에는 미래가 없다. 내일의 날씨는 어떨까. 조금 있다가 바람이 불까. 오늘 쌀밥은 고슬고슬하게 잘 익었을까. 이 모든 것을 우리는 알 수 없기에, 내일 속에는 기대와 희망이 움튼다. 그러니 그냥 "모든 면을 사랑하기로" 하자. 비록 "남들보다 앞서가지도 못하고/겨우 한 걸음이 전부"일지라도, 그런 '못난' 부분도 '나'이니까. "못할 수도 있지/못날 수도 있지"(「못」), 그게 잘못은 아니니까. 삶의 다양한 면면을 나누고 그것을 사랑해 보자.

> 흔하지 않은 피가 있다
> 이 사람의 피를 저 사람에게 줄 수 있다
> 저 사람의 피가 이 사람에게 올 수 있다
> 우리는 그런 사이다
> 피 검사를 안 해도 알 수 있다
>
> —「RH null」 전문

'RH null'이라는 아주 희귀한 피를 가진 사람들은 피의 성분뿐만 아니라 혈액형까지 일치해야 헌혈이 가능하다. 이건 참 불편하고 힘든 일인데, 이 사람들은 워낙 소수라서 서로를 각별히 생각하며 끈끈히 이어져 있다. 그들에겐 각자의 직업이나 재산, 성적, 인종 따위는 전혀 중요하지 않다. 그냥 그 사람이 '이 세상에 존재하고 있다'는 사실이 너무나도 소중하다.

어쩌면 사랑으로 이어진 관계도 그런 게 아닐까. 이를테면 가족 같은 거. 특별하든 특별하지 않든 사랑하는 것. 존재 자체로 축복인 사람들. 생각해 보면 인간은 참 아름다운 존재다. 가족이 아니라도 언제든 서로의 피를 나눌 수 있으니까. "우리는 그런 사이다." 영어를 잘하든 운동을 못하든, 다른 사람에게 나의 일부(피)를 "줄 수 있"는 존재들. 그렇게 우리는 나눌수록 풍성해진다. 이건 수학에서는 말이 안 되는 이상한 나누기. 서로를 걱정하며 내 피와 네 피를 나누며 더하기. 더 놀라운 건, 마음은 몇 번을 나누어도 줄지 않는 무한한 힘을 지니고 있다는 것. 그러니 더 열심히 마음을 주고 마음을 쓰자. 그렇게 서로의 열과 사랑을 나누는 우리의 모습.

잘 먹고 잘 쉬어야
약이 잘 듣는다고
약국 선생님이 말했다

아프다고
몸이 내는 소리를 약이 듣나 보다

엄마의 왼손이 엄마 이마를 짚고
엄마의 오른손이 내 이마를 짚고
일교차를 잴 때

열이 많이 내린 거 같네, 하는 말까지
이 약이
이야기
다 듣나 보다

—「약이 듣는 것들」 부분

열이 펄펄 끓던 어느 겨울날, 엄마가 이마를 짚어 준 적이 있다. 그때 나는 정말 약한 아이였는데, 엄마가 이마를 짚자마자 펑펑 울었다. 왜 그랬을까. 이유는 잘 모르겠지만 마음속의 어떤 허들이 녹아 버렸다. 그렇다. 우리는 서로의 "일교차를 잴" 수 있는 사람들. 열이 내릴 때까지 이야기를 나누는 사람들. 한 손으로는 자신의 이마를 짚은 상태로 다른 손으로 타인의 이마를 짚는 존재들. 그렇게 서로의 열을 나누면서 우리는 함께 울고 함께 앓고 함께 웃는다.

"거기는 낮이니? 여기는 밤이란다." 뿌리가 말했다
"아니 여기도 밤이에요 엄마, 오늘은 좀 춥네요." 꽃잎이
말했다

꽃잎이 떨면
뿌리도 떨었다
밤새 울었던 흔적이 잎에 맺혔다

둘의 대화에서 물소리가 났다
　　　―「꽃잎과 뿌리의 장거리 통화를 엿들었다」 전문

　누구나 이런 경험이 있을 것이다. 내가 울면 엄마도 따라 우니까, 울음을 참거나 소리를 내지 않으려 입술을 깨물고 소리를 숨겨 본 적 있을 것이다. 그런데 그걸 귀신같이 알아채더라. 열을 짚는 엄마처럼 너무나 정확히. 잘 숨긴다고 숨겼는데 어떻게 알까. 엄마는 어떻게 능숙하게 마음을 풀 수 있을까. 해답은 시 속에 이미 담겨 있다. "꽃잎과 뿌리"는 원래 하나이니까. 우리는 그렇게 나눌 수 없는 인연이니까. "둘이 사실 되게 친"(「야구 선수가 꿈이었는데 이젠 아냐」)한 사이니까. 그런 건 "피 검사를 안 해도 알 수 있"(「RH null」)는 것들이니까.
　시인은 그렇게 시 속에서 귀를 기울인다. 마음이 다친 건 아닌지. 아픈 건 아닌지. 때로는 혼자 있고 싶은 건 아닌지…. 언제나 함께일 필요는 없다. 어떤 날은 "따뜻한 동굴 속으로 들어가" "이야기꽃을 피우는"(「후드 티」) 날도 있는 것이다. 그래도 괜찮다. 그냥 그래도 괜찮은 것이다. 마음은 마음대로 되지 않는 거니까. 떨어져 있어도 사랑은 언제나 이어지니까.

　할머니 손은 라벤더
　할아버지 손도 라벤더

엄마 손도 라벤더
아빠 손도 라벤더
동생 손도 라벤더
내 손도 라벤더

손잡을 일 별로 없어도
두 손에 라벤더꽃을 키우는 사람들
우리는 같은 향기가 나

일어나서 쓰다듬고 밖에 나갔다 와서 쓰다듬고
밥 먹기 전에 쓰다듬고 잠들기 전에 쓰다듬고
일기를 쓰다 다듬어서 일기 읽는 눈이
조약돌처럼 매끈매끈해지게
언제나 모두가 쓰다듬어 주는
비누는 점점
사랑받는 기분을 알아 가고 있을까?

—「비누는 점점」 전문

무언가를 계속해서 나누는데도 그것이 더하기가 되는 이상한 현상이 있다. 나누지만 늘어나는 마법 같은 일. 이것이 바로 비누의 아름다운 특성이다. 이렇게 모두가 "손잡을 일 별로 없어도" 무언가를 함께 나눔으로써 이어지는 것. 그렇게 "두 손에 라벤더꽃을 키"울 수도 있는 법이다. 비누는 서서히 닳아 없어지지만 향기는 계속해서 선명해진다. 시간이 흘러 언젠가는 할머니 손도, 할아버지 손도 잡을 수 없겠지만 향기는 오래도록 마음에 남는다.

친구 중에 마음이 참 따뜻한 친구가 있다. 그 친구는 편지를 쓰기 전에 향기로운 비누로 손을 씻는다고 했다. 왜 그러냐고 묻자, 이렇게 말했다. "그러면 편지를 읽다가 향기를 맡을 수 있잖아. 멀리 있지만 순간 손을 잡는 거잖아." 그것도 사랑의 한 방식이다. "우리는 같은 향기가 나"는 사람이라는 것. 그렇게 "조약돌처럼 매끈매끈해지"는 마음을 갖는 것. 그러니 이 시집은 계속 이렇게 말한다. 우리 함께 천천히 살아가 보자. 비누 하나를 함께 쓰며, 향기를 쥐며 그렇게 "점점/사랑받는 기분을 알아 가"자고.

시인의 말

영혼과 이어폰의 관계에 대해 서술하시오.

친했던 친구를 무음으로 해 놓은 이유에 대해 설명하시오.

왜 시험 기간마다 무라카미 하루키의 『바람의 노래를 들어라』를, 한강의 『검은 사슴』을, 이승우의 『생의 이면』을, 한수영의 『공허의 1/4』을, 아멜리 노통브의 『살인자의 건강법』을 읽었는지 말하시오.

눈을 맞는 일과 비를 바라보는 일 가운데 더 좋아하는 일을 택하시오.

밤마다 자율 학습을 마치고 돌아오던 길과 새벽에 스쿨버스를 타러 나가던 길의 어둠의 농도 차이가 얼마였는지 적으시오.

그때 그 예민한 피부가 떠오를 때가 있다. 비가 오는 날, 빗방울처럼 투명한 눈으로 세상을 보고 싶어 비닐우산을 쓰고 싶을 때가 있다. 읽었던 책을 읽고 또 읽으며 행복했던 때가 있다. 빗소리가 끊임없이 세상을 건드리는 그때 그 느낌이다. 그 느낌을 사랑한다.

2022년 7월

김준현

창비청소년시선 41

세상이 연해질 때까지 비가 왔으면 좋겠어

초판 1쇄 발행 • 2022년 7월 15일
초판 3쇄 발행 • 2024년 12월 13일

지은이 • 김준현
펴낸이 • 황혜숙
편집 • 정미진 박문수
조판 • 이주니
펴낸곳 • (주)창비교육
등록 • 2014년 6월 20일 제2014-000183호
주소 • 04004 서울특별시 마포구 월드컵로12길 7
전화 • 1833-7247
팩스 • 영업 070-4838-4938 / 편집 02-6949-0953
홈페이지 • www.changbiedu.com
전자우편 • comtents@changbi.com

ⓒ 김준현 2022
ISBN 979-11-6570-112-3 44810